Max et L
des questi

Dominique de Saint Mars

Serge Bloch

CALLIGRAM

CHRISTIAN GALLIMARD

Série dirigée par Dominique de Saint Mars

© Calligram 2008
Tous droits réservés pour tous pays
Imprimé en Italie
ISBN : 978-2-88480-473-8

5

Bien sûr que non !

J'aimerais bien en avoir une comme ça !

Vous mangez du porc ?

Euh... je ne sais pas. On mange de la viande.

Si vous mangez du porc, c'est que vous êtes chrétiens.

Et si on n'en mange pas ?

Vous êtes musulmans ou juifs.

C'est pareil, musulmans et juifs... ?

6

7

8

9

Chez nous, on prie avant le repas.

Pour quoi faire ?

Comme ça, pour remercier...

Vas-y, Koffi !

Bismillah... comme dirait papa...

Ça veut dire quoi ?

« Au nom de Dieu... » C'est ce que disent les musulmans avant le repas... Mais maman, elle dirait...

« Seigneur, bénissez ce repas que la maman de Max et Lili nous a préparé...

Et le papa !

... ce repas que la maman et le papa de Max et Lili nous ont préparé, et donnez du pain à ceux qui n'en ont pas... »

HUM !

La maman de Koffi est catholique, et son papa est musulman !

J'y comprends plus rien !

T'es trop bête ! Les chrétiens* croient en Dieu ! Les musulmans croient en Allah ! Pas vrai, Koffi ?

Allah, ça veut dire Dieu !

* Chrétiens : les catholiques, les protestants et les orthodoxes sont de religion chrétienne.

12

En plus, ma grand-mère, celle qui est malade, est animiste.

Ami... amimiste ? Ça veut dire qu'elle a beaucoup d'amis ?

C'est une autre religion. Les animistes croient que les esprits des morts veillent sur les vivants... C'est ça, Koffi ?

Oui, ma grand-mère laisse toujours un peu de nourriture pour les esprits...

T'as rien mangé, Max !?

14

15

17

Dieu peut faire que j'aie des bonnes notes ?!

Si tu pries, si t'es sincère... Il peut tout, Dieu, je te dis ! Il entend tout, il voit tout !

Même quand on fait pipi, il nous voit ?

Même !

C'est pour ça que j'ai pas envie que Dieu existe ! Je veux pas qu'il me voie quand je fais pipi !

T'as pas à avoir honte devant Dieu, Lili ! C'est lui qui t'a créée ! C'est comme ton père !

Quand je fais pipi, je veux pas que papa me voie non plus !

18

19

Pas besoin de prier !
Pour avoir des bonnes
notes, t'as qu'à
tricher !

SMACK

Ta grand-mère
va mourir,
Koffi...

21

Malgré les progrès de la science, la vie reste un mystère... Pourquoi on vit... ? Pourquoi on meurt... ? Qu'est-ce qu'on devient après la mort... ?

On comprend pas ! Et on dit que c'est Dieu... Fastoche !

Si c'est pas Dieu, c'est qui ?

Les scientifiques disent que la vie sur terre a commencé il y a 10 milliards d'années, grâce au BIG-BANG*, d'où est sortie une petite cellule qui a évolué pour devenir un poisson... un singe... et aussi un homme...

Et une rose...

* Le big-bang : De l'anglais « grand boum », gigantesque explosion qui serait à l'origine de l'univers.

J'ai prié pour ma grand-mère...

J'ai rêvé que mon grand-père, qui est mort, me disait que ma grand-mère allait mourir...

J'ai prié comme papa... Maintenant, je vais prier comme maman et faire un sacrifice comme ma grand-mère...

Comment on fait un sacrifice, Koffi ?

Par exemple, en donnant à quelqu'un quelque chose qu'on aime beaucoup...

27

29

On va demander à Simon, à Kim, à Jérôme...

À fathia, et aussi à Alex et Jérémy...

Et à Indira ! Elle est hindouiste ! Elle a des milliers de Dieu !

31

Koffi, comment s'appelle ta grand-mère ?

Akissi !

32

33

C'était bien de prier ensemble !

Nous, quand on sera grands, on se fera jamais la guerre à cause de la religion !

Oui, c'est trop nul !

Koffi, ta maman vient d'appeler. Ta grand-mère a été opérée. Elle va mieux.

Tiens, je te la rends !

Tu veux qu'elle retombe malade, ma grand-mère ? C'est TA console !

34

CHEZ POPI ET MAMIE, LES GRANDS-PARENTS...

35

Ma mère était catholique... Elle est tombée amoureuse d'un garçon de religion protestante. Leurs familles ont tout fait pour les séparer...

... Mais ils se sont mariés quand même ! Leurs familles les ont rejetés. Plus jamais ils n'ont voulu entendre parler de Dieu ou de religion !

Mes grands-parents n'étaient pas très contents non plus que mes parents se marient... Maintenant, ça va.

Et toi...

Est-ce qu'il t'est arrivé la même histoire qu'à Max et Lili ?
Réponds aux deux questionnaires...

Tu crois que Dieu a créé le monde ?
qu'il est tout-puissant ? qu'il y a une vie après la mort ?

Tu imagines Dieu comme un être humain ? une force
d'amour ? Crois-tu qu'Il est au ciel ? en toi ?

Tu as été élevé dans une religion ? Tu en connais les livres ?
les règles ? As-tu peur de ne pas les respecter ?

sens-tu protégé, aimé, guidé par Dieu ? Ou en as-tu peur ?
Tu fais des prières ? Ça t'aide ? Ou tu te sens obligé ?

Tu penses que ta religion est la meilleure, que ton Dieu
est le vrai Dieu ? T'es-tu battu pour le prouver ?

ESPÈCE DE CROYANT !

S'est-on déjà moqué de toi à cause de ta religion ?
As-tu réagi ? par la parole ? par la violence ?

Tu en es sûr ? Pas tout à fait sûr ? Tu ne veux pas croire
sans avoir de preuves ? Crois-tu en toi ?

Tes parents pensent comme toi ? Te parlent-ils de leurs
valeurs ? le respect ? la fraternité ? le bien ? le mal ?...

Te demandes-tu pourquoi on vit ? s'il y a une vie après la
mort ? Ou ça t'est égal ? Ce qui t'intéresse, c'est le présent !

Tu crois que la vie s'est organisée dans l'univers après le big-bang et qu'on a évolué depuis des millions d'années ?

j'ai peur donc je crois et j'ai peur de croire...

Tu penses que les hommes ont inventé les religions ? pour répondre à leurs peurs ? être moins seuls ? S'améliorer ?...

ON EST EGAUX QU'ON CROIE OU PAS !

Respectes-tu ceux qui croient en Dieu ou t'en moques-tu ? Tu te sens supérieur à eux ? Ou tu les envies ?

**Après avoir réfléchi
à ces questions
sur Dieu,
tu peux en parler
avec tes parents ou tes amis.**

Dans la même collection